WHAT TO
DO WHEN
I'M GONE

我离开之后

WHAT TO DO WHEN

I'M GONE

A MOTHER'S WISDOM TO HER DAUGHTER

一个母亲给女儿的人生指南，
以及那些来不及说的爱与牵挂。

[美] 苏西·霍普金斯 (Suzy Hopkins)　著　[美] 哈莉·贝特曼 (Hallie Bateman)　绘　王岑卉　译

北京日报出版社

谨以此书献给我们的妈妈

前　言

在我很小的时候，每到深夜，我的心里总会莫名地涌起对死亡的恐惧。那时，我会叫醒妈妈，然后她就会安慰我。

　　"我会死吗？"
　　"会呀，但那要很久，很久，很久以后。"
　　"那，你会死吗？"
　　"会，但那也是很久，很久以后的事。"

长大后，死亡成了我们家日常生活中谈论的话题。吃晚饭的时候，我们总会争论死后是土葬好还是火葬好。有时候，妈妈还会郑重其事地说："如果有一天我变成了流着口水的累赘，那就给我个痛快吧！"我们都知道，世上有很多事是无法避免的，比如死亡，我们习惯选择用开玩笑的方式面对。今天，我们公开地谈论死亡，这样等到不得不独自面对的时候，我们就不会那么害怕了。

大概在二十二三岁时的某天晚上，我怎么都睡不着，"妈妈会死去"的念头又一次钻进了我的脑海。这一次，我决定不再逃避。我允许自己想象妈妈离开后可能发生的一切，深切地体会得知她死讯的那一刻的痛苦感受。

随着思绪飘飞，我想得越来越深远：我想象妈妈离世后的第一天，第二天，以及之后的每一天，地球会继续转动，而独自留在这个世界的我，却失去了方向，脚下的路一点一点崩塌。

如果妈妈不在了，在不知道怎么煮土豆的时候，我该打电话问谁？谁来听我倾吐工作中的烦心事，哪怕只是 5 分钟？谁来教我那些我还没学会的事？谁又会一次又一次地原谅做错事的我？少了那个把我带到这个世界的人，我又该如何独自前行？

想到这里，我的泪水再也止不住了。接着，我的脑子里蹦出了一个想法。第二天早上和妈妈一起做早饭的时候，我拜托她写一本笔记，如果将来有一天她真的不在了，这本笔记可以指导我如何独自走下去。

她听完我的想法后哈哈大笑，然后对我说："没问题。"

哈莉·贝特曼

我离开的那天大概会是这样……

这种情况可能会持续好多天，

所以，你最好离手机远一点儿。

第1天：做墨西哥鸡肉卷

你需要先切一大堆甜洋葱。你会不停地流泪，但最后你会明白，这些眼泪是值得的。

把分量相同的橄榄油和黄油倒进一口大炒锅里加热，再放入切成丁的大蒜和塞拉诺辣椒，然后把切好的洋葱铺在上面。你能想象得到吗，我常去的那家健身房总是在女士们锻炼的时候放一些美食烹饪节目。好吧，我虽然没能练出好身材，但也确实学到了很多，其中就包括如何做能让洋葱更美味——把洋葱炒至焦糖化，即洋葱变成金褐色，这会让整道菜的味道更加可口。

所以，你只需用小火煎20～30分钟，等着洋葱慢慢焦糖化就行了。

在这个过程中，需要时不时翻动锅里的洋葱，直到洋葱差不多变成金褐色时，再将提前混合好的辣椒粉、孜然、盐、胡椒粉和卡宴辣椒粉撒在上面，搅拌均匀后，再让它们多待一会儿。然后，在最上面撒上切成细丝的青椒、红椒和黄椒。做完这些后，你会觉得自己简直是个艺术天才，也就没那么想哭了。

接下来，将煮熟的鸡胸肉（如果你爱吃素，那就煮豆干吧）切成细丝，跟煎好的洋葱和其他蔬菜放在一起。

我喜欢把一个番茄切成四块或八块。不过管它呢，切成几块都无所谓，反正最后都得被捣烂。在出锅前的最后几分钟，撒上盐和胡椒粉，充分搅拌。

最后，配上新鲜的墨西哥玉米饼、香菜末、优质的莎莎酱和牛油果片，一道美味的墨西哥鸡肉卷就大功告成了！现在你感觉好些了吗？

好吧，我知道当然没有。那就再给自己倒上一大杯威士忌吧。

维达利亚洋葱
橄榄油、黄油
新鲜大蒜，切丁
塞拉诺辣椒，去籽，切丁
辣椒粉、孜然、盐、胡椒粉和
卡宴辣椒粉
青椒、红椒和黄椒
鸡胸肉或豆干
新鲜番茄
墨西哥玉米饼
香菜末、莎莎酱、牛油果
威士忌

第 2 天：允许人们关心你

当门铃响起时，你得去开门，跟客人打招呼，请他们进屋。

你可以向他们倾诉，他们也会耐心聆听，你们可能还会一起哭泣。

如果你愿意的话，给他们准备些茶和点心吧。

把打结的狗毛一点点梳顺。
毕竟，我的死又不是它的错。

除非我的死确实是它的错，
那么给它梳毛的事就先放一放吧。

第 4 天：为我写讣告

过去，讣告是免费的，而且由记者撰写，内容包括你的家庭、学业、职业生涯和对社区做出的贡献。

如今，大多数讣告都是由家庭成员写好寄给报社的。他们的文字功底不行，关注点又让人摸不着头脑，比如"她将全部精力献给了她钟爱的腊肠犬小丁，与它共度了许多欢乐时光"。

讣告不光是一种形式，也是你在人世间为数不多的书面记录。一个人曾经存在过的痕迹很快就会被世人遗忘；可能在一两代人之后，关于你的记忆就会被彻底抹去。

如果我能提前做好计划，恰好又活得比较久，那我可能会自己写讣告。但显然我已经来不及了。所以，你可以跟那些最了解我的人聚一聚，聊一聊。然后，你会发现，你老妈还有很多事是你不知道的。

我的讣告里千万别写这些

"她于 1987 年搬到佛罗里达，1993 年搬到方克旗，1995 年搬到克利夫兰，然后跟一个她后来后悔认识的男人住在一起，最后定居塔科马。"

我自己都不记得我住过的每个地方，这些也用不着被永久记录。

"她喜欢填字游戏。(还有一大堆别的无聊爱好)"

除了我的直系亲属，没人需要知道我做过马赛克花盆，钢琴弹得超烂，买了季票但一年只看了两场剧，过去 25 年里做菜只用同样的 6 种食材。

"她在亲人的陪伴下平静离世。"

我并不觉得每个人都能平静离世。我猜有些人是痛苦地哀号着死去的。我认为，每个人都应该在觉得疼的时候得到一加仑麻醉剂。

"她把智慧、爱和光明分享给生命里遇到的每一个人。"

哦，得了吧，我们就不能诚实点儿吗？我很确定，在我办公室附近执勤的那位交警可不会赞同这句评价。

第 5 天：整理屋子

你可能觉得天崩地裂，或是浑浑噩
噩。这时你可以打扫你的屋子。将
每样东西各归其位，让屋子井然有
序，尽一切所能远离生命的无常和
死亡的残酷。

人生就像一场赌博，需要时刻保持镇定，有条不紊。
这样，你才能在关键时刻找到你的袜子。

第 6 天：去 24 小时餐厅好好吃顿饭

你现在需要一个能够立刻出现在你面前的好朋友，哪怕要坐飞机横穿整个国家也在所不辞的那种朋友。告诉她你真正需要的是什么，是耐心听你倾诉，是陪你一起哭，还是跟你天南海北地聊天，或者只是静静地陪在你身边。

这样吧，带她去你最喜欢的 24 小时餐厅，你们可以吃些派，喝杯咖啡，聊一些与死亡无关的话题。你们也可以互相分享一些最近发生的事，或是聊聊失去我之后的感受。告诉她，我说过的哪些话逗得你大笑，也可以抱怨一下我做过的哪些事气得你抓狂。

不用去管什么规矩、对错。好朋友自然会理解你，这个时候真正的好朋友会为你递上纸巾。所以无论现在还是将来，你都不需要一个人苦撑。

第 7 天：把我埋葬

和亲朋好友一起为我举办一场葬礼，别忘了再给我放两首歌：尘土乐队 [1] 的 "And So It Goes"，还有以色列·卡马卡威沃尔 [2] 弹唱的 "Over the Rainbow"（如果有人抱怨这两首歌太煽情了，好吧，换作是我也会这样抱怨）。把我葬在一个风景优美的乡间墓地。我不介意被埋在地底下，至于我的身体，无论是慢慢地腐烂，还是被虫子一点点吃掉，我都欣然接受。

在我看来，墓地并不是一个令人沮丧的地方，相反它更像一个让人着迷的家族历史资料库。换个说法，如果你想要买一套合乎心意的公寓，你会更在意什么？当然是安静的邻居和漂亮的草坪嘛。千万要记得立一块墓碑，这样你在找我的时候也会更方便些。还有，墓志铭要写得足够神秘，给大家留一些想象的空间。

---

1 尘土乐队：Nitty Gritty Dirt Band，美国著名乡村摇滚 / 蓝草乐队。
2 以色列·卡马卡威沃尔：Israel Kamakawiwo's Ole，夏威夷传奇疗愈系歌王。

如果死后还能有人聊起我，
我会很开心的。

第 8 天：滑旱冰

你今天要做的就是：不要思考，活在当下。尤其是在滑旱冰的时候，除非你是滑旱冰的高手，否则你肯定没有多余的时间和精力去思考其他问题。

但如果你滑旱冰的水平跟我差不多，那你脑子里只会想着："完蛋了！要摔了！要摔了！要摔了！"棒极了！这么一来，你就不会一味沉浸在不好的回忆中，被悲伤或焦虑淹没。你也没时间再去想："哦，不，为什么我在最后一次跟妈妈说话的时候，还要冲她大喊大叫。"

没关系的，你又不知道那会儿是最后一次跟我
说话。别伤心，别难过，继续往前滑吧。

第 12 天：去电影院看一场电影

为什么会发生这种事？这种事能避免吗？

你是不是想说我这糟糕的结局纯粹是自找的。毕竟，我又抽烟，又喝酒，还不锻炼身体。来吧，那就由你来改写我的结局吧。反正我也不在乎了。如果你一时想不出，我倒是帮你编了几条。

掉进一个大陷阱里摔死。

在圣诞特惠大采购日发生踩踏
事件时被踩死。

被手机的语音助手导航到悬崖摔死。

攥着你的照片时心脏病发作而死
（完全是因为太爱你了）。

其实，我想告诉你的是：我的人生故事可能会有无数种结局，无论是哪一种都没关系。如果你去问那些已经死去的人对自己的死法满不满意，我猜大多数人都会想要改写自己的结局。但话又说回来，不管我是怎么死的，死了就是死了。所以啊，你不如去看场电影，买桶爆米花吃吧。

第 15 天：烤布朗尼蛋糕

自从我离开之后，你依然有很多事情要忙，以致于没有太多时间去思考。但是，失去的本质就是教我们慢慢学会接受。这会成为你的新日常。我知道你暂时还没有办法适应，但我相信你会慢慢撑过去的。

烤布朗尼蛋糕会对你大有帮助，尤其是跟别人一起分享，效果更好。这份食谱是你外婆以前常用的。

首先，找一只厚实的大锅，用小火将黄油和巧克力一起熔化，适时搅拌一下。待完全熔化后，稍稍晾一会儿，再加入糖和香草粉，搅拌均匀。接着，每次加入一个鸡蛋，搅匀之后再加入下一个。

然后，分别加入燕麦粉、面粉、发酵粉和盐，再加入坚果或薄荷碎，搅拌至充分混合。在 33 厘米 ×23 厘米的烤盘底部涂上一层油后撒上面粉，用勺子将混合好的面糊舀入烤盘，并涂抹均匀。最后放入烤箱，将烤箱调至 165 摄氏度，烤 35 ~ 40 分钟，放凉后切成方块。

【食谱】
1/2 杯黄油
113 克无糖巧克力
2 杯糖
2 茶匙香草粉
4 个鸡蛋
1 杯燕麦粉
1/2 杯 +2 汤匙中筋多用途面粉
1 茶匙发酵粉
1/2 茶匙盐

可供选择：1/2 杯切碎的核桃或山核桃，或者 20 颗碾碎的红薄荷糖（剥开糖纸，放进塑料袋，用锤子轻轻敲碎）。

蛋糕放进烤箱后，可以趁着等待的时间煮一壶上好的咖啡，顺便再想想要跟谁分享这些布朗尼蛋糕。

那个人最好不那么在乎脂肪和卡路里。那个人最好是听见"自制布朗尼蛋糕"就会两眼放光的人。你现在最不需要的，就是减肥。

27

千万别这么接话
(不管你有多想怼回去):

天啊！你是我失散多年的兄弟（姐妹）吗？如果不是的话，你根本不知道我有多难过。

那要多长时间，才能让她活过来？

你确定？你凭什么这么肯定？

所以你愿意签字保证吗？

你说得很对。既然我妈永远都回不来了，那还不如咱们开个派对开心一下？

说真的，她这辈子过得也就一般。她明明不爱冒险，难道不该再多活二十年吗？

第 18 天：摔东西

手边随便什么东西，最好是容易碎的那种。别想太多，
拿起它使劲儿往墙上砸过去就对了。

你说得很对，人生本来就是不公平的。

好了，既然发泄完了，那就把它收拾干净吧，
免得有人受伤。

第 21 天：远足

人终有一死，父母离世是上天发出的信号，带来一个令人震惊的消息：接下来就该轮到你了。

我觉得，这就像你正走向生命跳板的尽头，而下一刻就会跳进或被推下深潭。这原本不该感到意外，但事实上它却会让人猝不及防。当你失去至亲时，它更会以惊人的力量给你迎头重击。

今天不适合游泳，不如去树林里散个步吧。想想树林里那些浣熊、熊和狐狸，它们生在那里，长在那里，最后也会死在那里，它们一点儿都不担心什么生命的跳板。相信过一段时间，你也会习惯的。

如果我们最后都会死，那为什么还要活下去？活下去最好的理由，恰好就是死亡。想象一下，如果我们永远不会死，你会在这无限的生命中浪费多少时间？只有当生命的最后期限逼近时，才有可能见证奇迹的发生。

33

第 26 天：让我解释一下
你整理屋子时所发现的东西

坏掉的糖果：5 年前，为了防止你爸偷吃我藏起来的，然后就彻底把它忘记了。

护照照片：不幸的是，那个时候正流行烫发。

高中日记：读完后你会发现（或许
你早就知道了），在那个年纪，我也曾
对每件事都感到如此焦虑，
有一天你也会经历这些的。

外国钱币：即使不记得
它们来自哪个国家，
我也舍不得扔掉。

装在密封信封里的是我留给你和你弟弟
的小字条：这就要追溯到我"恐飞"
的那段时期了。那时候，
我一直认为自己会死在
半空中，所以留下了一张字条，
希望你看到以后能明白我有多爱你。

没有秘密恋情，没有另一种不为人知的人生，也没有藏着百万美元
的保险柜钥匙：虽然很抱歉，但我确实没有什么需要保密的东西。
相信我，我跟你一样失望。

第 45 天：写感谢信

我离开之后，可能有很多人都曾关心过你，帮助过你。给每个人写一封感谢信吧。

死亡是粗鲁又无礼的，而感谢信却是一种礼貌表达谢意的方式。向别人表达感激之情，会让你把注意力放在关心你的人身上，而不是只想着离开的人。

这样一来，也就让你不得不离开家门，
前往邮局了。在那里，你将学会一个
比感恩更难得的品质——耐心。

37

第 76 天：深呼吸

丧亲之痛可能会让你突然想起某张脸，也可能会把你的思绪带到某个时间、某个地点，或是突然产生某个想法——在未来，只有无尽的孤独和悲伤等着你。但想法也只是想法，并不是现实。所以啊，你不能总是相信你的想法。

找一片最绿的草地，跪在上面仔细观察。看看小虫身上的彩色条纹、落叶上清晰的脉络，这些才是真实的。闭上双眼，深呼吸，感受大地的气息。还有，足够幸运的人是不会被草地上的洒水器淋湿的。

第 110 天：创造全新的节日传统

这是我离开后的第一个节日，感觉会有点儿不一样。别去做那些我们曾经一起做过的事，不然做什么都只会让你觉得心里空落落的。试着做些新鲜事吧，也许你会不经意地想起我，希望我还在你身边。

和亲朋好友们一起看恐怖片。

晚餐点份披萨外卖，
而不是像往常一样自己做饭。

全家人一起去游戏厅尽情玩一场。

大家一起写个剧本排一出戏。

第 144 天：烤山核桃派

你的外婆总是会在假期的时候做这种馅饼。我一直不明白为什么我会这么爱吃。直到她去世以后，我继承了这个传统才恍然大悟——因为它糖分超高！

第一步，做馅饼皮。你可以直接买冷冻的馅饼皮，但如果按下面这个配方自己做出来口感会更棒。

> 4 杯过筛面粉
> 1 汤匙糖
> 2 茶匙盐
> 3/2 杯固体植物起酥油（软化但没有熔化的椰子油效果也不错）
> 1 汤匙白醋或苹果醋
> 1/2 杯冷水（如果需要的话，也可以多加 1 汤匙）
> 1 个大鸡蛋

动手制作之前，牢牢记住一点：你绝对不可能搞砸，结果一定棒极了！像这种话你一辈子能说几回？

分别将面粉、糖、盐和起酥油倒进料理机，按下"搅拌"按钮，重复几次。

另找一只小碗，将醋、冷水和鸡蛋混合，用叉子搅拌。将混合物倒进料理机，多按几次"搅拌"按钮，直到食材充分混合。

将混合物倒在撒了面粉的案板上，分成两份。分别用保鲜膜裹起来，冷藏半小时以上。然后取出一份，放在面粉上滚一滚，再放进一个 23 厘米或 25 厘米的平底烤盘中，最好是深底烤盘。

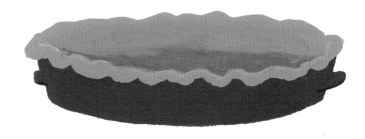

至于另一份，放在冰箱里吧，可以保存一周，这样你就可以再做一个烤山核桃馅饼了。

等待面团冷却的同时，可以着手准备山核桃馅饼的馅料。

3/4 杯淡玉米糖浆
1 杯黑糖
3 个鸡蛋，稍稍打发
1/2 杯熔化的黄油
1/2 茶匙盐
2 茶匙香草粉
2 杯山核桃仁
随意添加：1/3 杯巧克力片，用食物料理机搅碎
1/3 杯无糖椰蓉

如果要加入巧克力和椰蓉，就需要把它们均匀地撒在尚未烘烤的馅饼皮上，然后把馅料（充分混合）倒在上面。

烤箱调至 175 摄氏度，烤 45 ～
50 分钟，直到馅饼的中心部分
凝固。最后放凉。或者不用
等它放凉，就算一出炉你就
直接开吃，也不会有人
阻止你吧？

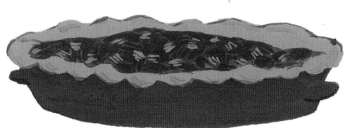

第 170 天：玩蹦床

有时候，你无法专心、专注，不能好好思考。那就在蹦床上跳个 1000 下。跳完后也许你依旧无法好好思考问题，但你会很累，累到什么都不在乎了。

第 231 天：庆祝你的生日

到目前为止，死亡对我来说不是什么沉重的话题。我一直在拿它开玩笑，表现得自己很幽默的样子。

但今天我做不到。

我不在了，没法打电话为你庆祝生日。

我不在了，没法送你那个封面画着金毛猎犬、里面塞着钞票的生日贺卡。

说真的，我对此感到非常抱歉，我不能去厨房，亲手为你做翻糖蛋糕；也不能张开双臂拥抱你，只能躺在冷冰冰的坟墓里。所以，我只能通过想象来感受你此时的心情。

今天对你来说肯定很难熬，但可别忘了——死的是我，你还活着！在你生日的这一天，你可以因为我没能参与你的生日而感到遗憾，但不要独自难过。

感觉真是糟透了！
真希望我能陪在你身边。

第 285 天：给自己买双好鞋

每个人的一生都应该拥有至少一双好鞋。现在我不能再宠着你了，但你还可以自己宠着自己呀。

第 320 天：停止做自己不想做的事

把你讨厌做的事列一份清单。
至少选出其中的两件事，
以后都不要再做了。

第 365 天：做鸡汤丸子

转眼一年过去了，你可能还会感到痛苦。如果我能为你做些事，让你不再那么失落就好了。

其他人，即便是那些还活着的人，留给我们的都只是我们对他们的一种感觉，一种主观看法。这也就意味着，只要你记得我，我就一直在你心里。因为我还在，所以我建议你把日子过得忙碌一点儿，热爱生活，寻找幸福，不断前进。

尽情体会你此刻的感受。然后，你会意识到太阳出来了，需要带着狗狗出去散步，角落的那堆衣服也需要洗了，邻居可能会喜欢你送去的爱心美食。

好了，虽然我不在你身边，但你一定知道接下来我会让你做什么。没错，就是做鸡汤丸子！

将整只鸡放进锅里，加水浸没，加入切好的芹菜、洋葱、胡萝卜和欧芹，撒上盐、胡椒粉和其他调味料。小火或中火炖几个小时，直到骨肉能轻松分离。

冷却后，将经过过滤的鸡汤倒进另一个锅，用叉子将鸡肉从骨头上剔下，放在一只碗里备用。

将一大颗洋葱和几根芹菜（包括叶子）切成碎末放入锅里，用黄油炒至变软。撒上意大利调味料和家禽调味料，再加入少许面粉和一些白葡萄酒翻炒。

炒至汤汁有些许浓稠，然后将过滤后的鸡汤倒入锅中。加入盐和胡椒粉，煮 15 ～ 20 分钟后，加入煮熟备用的鸡肉。

接下来开始做丸子吧。如果你从来没有做过，可能会有点儿棘手。那就倒上一大杯葡萄酒，给自己压压惊。

整只鸡，清水洗净
芹菜、洋葱、胡萝卜和欧芹
盐和胡椒粉，意大利调味料和家禽调味料
面粉和牛奶
白葡萄酒

5/4 杯面粉
1/4 杯玉米面
1 汤匙发酵粉
1 茶匙盐
欧芹，切末
意大利调味料
胡椒粉
2 茶匙熔化好的黄油
1 杯牛奶

将面粉、玉米面、发酵粉、盐和欧芹末混合，然后倒入熔化的黄油和牛奶。轻轻搅拌，不要太用力，这样丸子才会柔软可口。好吧，反正不管你怎么做，当你吃下去之后，它们都会像胶水一样黏在你的肚子里。最后，你需要用汤匙舀起面糊，一勺一勺放进汤里，煮 20 分钟就可以出锅了。

哦，对了，第二天你可以把剩下的菜做成鸡肉馅饼。将未经烘烤的馅饼皮铺在烤盘底部，再倒进吃剩的鸡汤丸子，加入一些切成丁的土豆和洋葱，然后再拿一张馅饼皮盖在上面。烤箱调至 175 摄氏度，烤 50 ～ 60 分钟，直到外皮呈金黄色。

第 400 天：找人取代我

当失去生命中重要的人时，那就找个人来取代他吧。因为总是沉浸在失去的悲伤中，你就看不到幸福，那样你的人生将会错过很多美好。我这么说并不代表你的妈妈真的能被人取代，当然这么做也是不公平的，但我还是希望你能试试看。

二三十岁的时候，你会有很多朋友。一旦步入四十岁，你的社交圈会逐渐缩小：朋友们会搬家，会各自组建家庭，或是因为忙碌复杂的生活跟你失去联系。

五六十岁的时候，更是"知交半零落"：有的人彻底失去了联系，有的人感情变淡，有的人已经离世，有的人重获新生或是静修沉淀心灵，而有的人却变得更加惹人厌。

等到了七八十岁，你周围的人一个个都离开了人世。你必须找其他人来填补他们的空缺，这样才会始终有人支持你、陪伴你、帮助你。哦，对了，你最好能找到一些比你年轻的新朋友！

当然啦，如果有现成的人选，
事情就简单多了。

译者注：电话号应
为 1-800-7368-
2-666，RENT-A-
MOM 这几个字母分
别对应着九宫格输入
法里的数字键。）

有时候，你会忘记自己有多优秀。
唉，只怨我不能在你身边时常提醒你。

有一天你也会老去，
别等到那时你在看旧照片时才发现："我年轻时是多么漂亮啊。"

钻进浴缸，好好泡个澡。就像重新回到母亲的子宫，整个人被温暖包裹着。点一支蜡烛，在摇曳的烛光中放松全身，屏蔽掉外界的一切声音，想泡多久就泡多久。我不知道鬼魂是不是真的存在，但如果真的有鬼，那我一定会变成鬼魂回来看你的。当烛光摇曳，这就代表我已经来到你身边。把烛芯留长些，这样你就更容易看出来了。

看见这些征兆，
表示我从另一个世界来看你了

- 蜻蜓不停地绕圈飞

- 瓢虫停在你胳膊上

- 天空有彩虹出现

- 青鸟成群结队

- 天上的云看起来像某种图案

- 杜鹃花叶子上出现了斑点
  （这也代表它生病了）

第 550 天：做决定

当你需要做出一个决定时，无论是换工作、开启一段感情，还是分手、搬家、创业，你所需要做的事情都是一样的。

· 找一张草稿纸（最好是带有横线的那种），还有尺子和铅笔。

· 在草稿纸的中间画一条竖线。

· 在草稿纸的上方画一条横线。

· 左边写好处，右边写坏处。

· 在下方列出结果：最好的情况，最糟的情况。

· 如果最好的情况很棒，最糟的情况也能接受，那就去做吧。

如果你对某人感到心烦意乱，很可能是因为你在乎这个人。早点上床，好好睡一觉。第二天早上，设想一下，如果 5 分钟后一颗流星将撞上地球，把你住的地方夷为平地，你还会为谁对谁错烦心吗？还是说，你只想紧紧抱住对方，永远不撒手？你看，问题不是解决了吗？

63

第 650 天：让咖喱治愈你的心碎

当你被爱伤害时，
就去煮咖喱来为自己疗伤吧。

洋葱、黄油、橄榄油
大蒜、姜
土豆、胡萝卜、山药、苹果、番茄
西兰花、欧芹
咖喱粉（中辣或重辣）
孜然、姜黄、肉桂、红糖、小茴香、卡宴辣椒粉、盐、胡椒粉
面粉
鸡汤或蔬菜汤
椰奶

把一大堆洋葱切成块，再切一些新鲜的大蒜和姜，然后用黄油或橄榄油小火慢煎。趁着空当儿，将几根胡萝卜、两到三根山药、几颗大土豆、一个酸苹果和几个熟透的番茄去皮切块，再切一些西兰花和欧芹。

想到要切这么多东西就头疼？忍忍吧！把刀子磨锋利些，这样切起来就能快很多。你应该感到庆幸，自己既不是以挖沟为生的劳工，也不是心脏外科医生——他们需要反复为那些心碎的人修复心脏。

趁着煮咖喱的机会好好释放一下情绪。放松下来，享受去皮、切丁、挖烂斑的过程，正如你将错误的爱情从自己破碎不堪的心中去除。

接下来，将咖喱粉、孜然、姜黄、少许肉桂粉、少许红糖、卡宴辣椒粉、盐和胡椒粉放入一个小碗中备用。当然，如果你想再疯狂一点儿，可以加一些小茴香。将这些调料撒在煎成焦黄色的洋葱上，小火翻炒。

再加一些面粉，可以使汤汁变得浓稠。焖煮上几分钟，再加入几杯蔬菜汤或鸡汤。然后加入蔬菜，先把最难煮熟的蔬菜放进锅里。然后对自己说："我也像这些难搞的蔬菜一样坚韧，我一定能熬过情绪崩溃的日子。"

再多煮一会儿，然后往锅里加些椰奶；如果你想的话，还可以再加点咖喱粉、盐和胡椒粉。你也可以根据需要多加一点儿椰奶，不过煮的时间也就相对要长一些。好吧，其实怎样都没关系，随你高兴啦。煮咖喱是很宽容的，哪怕你不是个宽容的人。

你可以将锅里的混合物再充分搅拌一下，但我个人更爱吃有颗粒感的。等到快出锅的时候再加入西兰花和欧芹，免得煮过头。

专注于做咖喱所涉及的细节，能分散你的注意力，从而使你暂时摆脱痛苦。咖喱会永远陪着你，助你挺过心碎。其实做咖喱就相当于克服生活中的障碍，并从中学习一些新的东西。咖喱做好了，就邀请朋友来家里共进晚餐吧，或是给朋友送去咖喱套餐。

现在是凌晨 3 点，但你不能打电话给我。很抱歉，因为我已经不在了。如果我还活着，我会说："可怜的孩子，如果你睡不着，要不要我泡杯茶给你？还是来一大碗咖喱？"

有时候，你的思绪可能会飘到你不想去的地方。别去埋它，听一首喜欢的歌，把音量调大，让它足以盖过来自你内心深处的嘶吼。如果你在乎的人还躺在你的身旁，可以戴上耳机。

还有一个更好的选择，那就是读一本好书，让它带你到另一个时间，另一个地点。当你最后闭眼入睡前，你或许会有点儿感恩当下的一切。

第 750 天：吃巧克力

你是否遇到了真正爱你的人？

他会让你开怀大笑。

他会在你呕吐后，帮你清理呕吐物。

他的家人会非常欢迎你。
（没错，你们结婚后，他的家人
也是你的家人。）

他和你一样聪明，起码没比你笨太多。

他会耐心地听你倾诉，
而不是一意孤行。

不用你说，
他也会带巧克力回家。

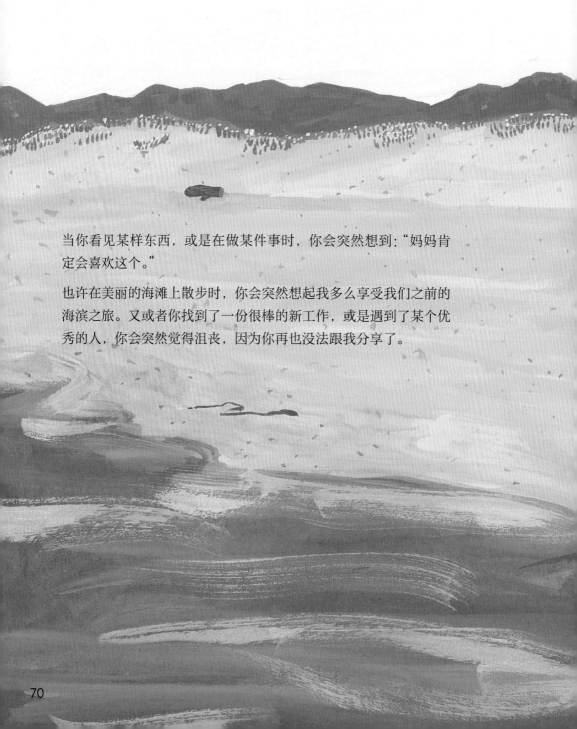

当你看见某样东西，或是在做某件事时，你会突然想到："妈妈肯定会喜欢这个。"

也许在美丽的海滩上散步时，你会突然想起我多么享受我们之前的海滨之旅。又或者你找到了一份很棒的新工作，或是遇到了某个优秀的人，你会突然觉得沮丧，因为你再也没法跟我分享了。

其实，你还是可以的。

第 900 天：仰望天空

眼前的麻烦总会解决。
无论是过去的还是将来的，
所有的不顺心都会烟消云散。
一切都是浮云。

73

第 950 天：做辣酱

人总是固执己见，
好在做辣酱是灵活多变的。

紫洋葱、红灯笼椒、芹菜、大蒜，切丁
橄榄油
辣椒粉、孜然、罗勒、茴香、迷迭香、牛至、
洋葱粉、卡宴辣椒粉、盐、胡椒粉
面粉或亚麻籽粉
红葡萄酒
番茄，切丁
黑豆、芸豆
蔬菜汤或鸡汤
胡萝卜、山药、奶油南瓜，切丁
塔巴斯科辣沙司
奶酪丝、酸奶油、香菜

这是一份通用辣酱食谱，适用于制作各种类型的辣酱。动手制作之前，最好先找几个今晚不想做饭的朋友（这种人肯定不难找），邀请他们来家里共进晚餐。

将大个头的紫洋葱、红灯笼椒、芹菜和新鲜大蒜切丁放入锅中，加入橄榄油煎几分钟，时不时翻炒一下。

配制调料：将辣椒粉、孜然、罗勒、茴香、迷迭香、牛至、洋葱粉、卡宴辣椒粉、盐和胡椒粉混合在一起。

把配好的调料倒入锅中，炒一分钟左右，然后撒上两到三汤匙面粉或亚麻籽粉，再炒一分钟。倒入一杯红葡萄酒，小火收汁，然后加入切成丁的番茄、黑豆、芸豆，以及其他蔬菜汤或鸡汤。

这一步，你可以多加些肉汤或其他切好的蔬菜（我喜欢胡萝卜、山药和奶油南瓜），然后再倒入一些塔巴斯科辣沙司。

然后慢火炖一两个小时。别忘了尝尝辣度如何，不合适的话就做些调整。最后加上奶酪丝、酸奶油和新鲜的香菜末。这份食谱可以调成不同风味，还可以搭配玉米面包。辣酱放得越久，味道越棒。

第 1000 天：为自己冒一次险

问：我们恋爱了，也聊起过一起生活。但我怎么才能知道什么时候是进一步发展的正确时机？

答：当你们白天黑夜都想要黏在一起，怎么也不愿分开的时候，那么时机就到了。

问：如果我们生活在一起之后，开始觉得对方的所有付出是理所当然的，那该怎么办？

答：你会这样想很正常。但慢慢地你也会意识到自己的想法是多么幼稚，然后再次把关注点放回到你的伴侣身上，你们之间的关系会变得更亲密、牢固。

但有些时候，你会觉得激情一去不复返，伴侣似乎对你视而不见了。坠入爱河很简单，但要共同生活却难得多。这是一个学习的过程，更是了解自己的过程。

有时候，你会不满意自己的表现，或是不满意伴侣的表现。你们不可能总是意见一致，家务活也不可能总是平均分配。有时候你们会发火，会吵架，所以你们不得不重建沟通渠道。这一切听起来的确很麻烦，但如果你爱你的伴侣，你所付出的努力都是值得的。

问：婚姻到底是什么呢？我担心就算我找到了愿意共度一生的人，也会被所谓的婚姻制度压得喘不过气来。如果近一半的婚姻以离婚告终，为什么我还要冒险结婚？

答：你考虑结婚是出于什么理由？你觉得婚姻会改变什么？每个人结婚的理由都不相同，有的人为了爱情或信仰，有的人为了性或金钱，还有人是为了孩子。

不要抱怨婚姻制度，因为你既看不见它，也摸不着它。真正的问题在于，从来没有人教我们究竟该如何经营婚姻。人都是自私的，所以他们很难意识到付出有多重要。况且有时候他们还会轻易放弃。婚姻能不能成功美满，取决于你愿意投入多少爱和精力。如果只坚持几年就放弃，你就会错过与爱人相伴的美好时光。随着年华老去，你会变得更加成熟、睿智，也会为了曾经的轻易放弃而感到后悔。

我想说的是，如果你找到了一个了解你并真正在乎你的人，步入婚姻的殿堂是值得的。他知道你的过去，但完全不介意；他见过你早上刚醒来的模样，但仍然爱着你。没错，婚姻就是一场冒险，需要我们付出很多。但当你真的遇到了那个人，不要犹豫，应该好好把握。

问：如果我们都努力过，但最后还是分开了，该怎么办？如果我在错误的人身上浪费了很多时间，该怎么办？我怕我回想这一切的时候，会为自己的天真而难为情。

答：每个人的生命里都会有这样一个过客，他的出现就是为让你明白一些事。比如他会让你明白，你想要什么样的伴侣，不想要什么样的伴侣。至于难为情，那就没必要了。每个人都有天真的时候。

正是因为这份天真，我们才会在未来的某一天说出那句："我愿意。"

你准备好了吗?

......接下来二十年
都跟一个小鬼紧紧
绑在一起?

......担心孩子生下来
可能没有完美的
手指、脚趾?

妈~
妈~

......年复一年,
没法好好睡觉?

DIAPERS

......花一大笔钱在尿布、
奶粉、童椅、童鞋和
宝宝水杯上?

我
讨厌
你!

......应对青春叛逆
期的怒火

UNIVERSITY
OF DEBT

......除了辅导做作业、组织
家庭旅行、开车接送孩子
之外,还要存大学学费?

很高兴你想了这么多。

不过，你更有可能跟你爱的人（或是正在培养感情的人）发生关系，在毫无准备的情况下就孕育了新的生命，让你所有的问题和烦恼变得毫无意义。

别误会我的意思。
我不是在责怪你。
就算我已经不在人世了，
也还是想当外婆啊！

第 1775 天：来点儿麻醉剂

孩子出生那天，麻醉剂会让你好受许多。那一天你可能要经历常人难以忍受的痛苦，除非你属于百分之一的幸运女人，生孩子对她们来说似乎很容易——"我 10 分钟就生完孩子了，差点儿来不及吃完三明治！"

用不着有负罪感，你有权使用麻醉剂来缓解疼痛！不过当你第一次抱起宝宝的时候，你会忘记所有痛苦，因为你的脑子马上会被宝宝稚嫩的哭声占满。

第 1800 天：唱我哄你睡觉时常唱的那首歌

黛西，黛西，说出你心意。
我为你着了迷。
虽然没有气派的婚礼，
也买不起好车送你，
但坐在单车上的你，
也一定很美丽。
双人单车，坐着我和你。

露比，露比，说出你心意。
你是否愿意，
跟我一起骑车郊游?
你会感谢我的选择，
我们一起享受乐趣。
双人单车，坐着我和你。

比利，比利，说出你心意。
你是否和我一样爱骑单车?
或疾驰，或慢行，
你领头，我跟随，
小路从我们身旁飞过，
双人单车，我们一起骑。

双人单车，坐着我和你。

第 1900 天：道歉

如果你跟兄弟姐妹、朋友或是你爸吵架了，请试着修复你们之间的关系。

别让小矛盾变成大问题。

告诉他们，不论发生什么事，你都是爱他们，需要他们的。

每个人都希望被看见——

他们很重要，你看见了他们的付出，并对此充满感激。

勇敢为自己做过的事承担责任，并诚挚道歉。

而且最好不要等太久。千万别带着悔恨进坟墓。

我不是在偷窥，也不想打扰你的生活，只是顺路回来看看你。就算你醒来后忘了梦里说过的话，也忘了梦中的细节，但也要试着记住这种母女重聚的感觉。如果我回来不是为了催你打扫卫生，我希望我的探望能提醒你，妈妈永远爱你。

第 2500 天：忍受痛苦与折磨

受伤是生活的一部分。记住，你不是唯一感到悲伤和痛苦的人，也不是世上最悲惨的人。说到受苦，有很多人随随便便就能超过你。找到这些人，给他们送些小饼干。你可能觉得没人能懂你的苦，但其实你并不是孤单一人。

咱们来比比看
"哪一种情况比较惨"

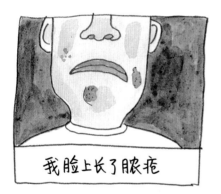

我创业失败

你离婚了

我脸上长了脓疱

你有痛风

我的狗狂叫不停

你的猫脾气超烂

第 3000 天：跟你的孩子聊聊死亡

清洗死者的遗体，为他换上衣服，然后挖一个坟墓，刻一个墓碑。过去，我们与死亡的联系比现在更紧密。如今，我们总是试图逃避"死亡"这个话题，这反而增加了我们对死亡的恐惧与不安。

无论是我们的文化，还是我们的家庭，都需要多聊聊死亡。我们怎么迎接新生命，就该怎么重视生命的逝去。

第 3500 天：创造美好

这个世界会让你失望。战争、不宽容、仇恨和贪婪会让你震惊。你想要找到快速解决所有问题的方法，但这种东西根本不存在。

做一些积极的事，
哪怕是微不足道的
小事，也能让世界
变得更加美好。

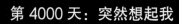

回忆犹如潮水，
不可抑制地向你涌来。

我离开之后，不只留下悲伤。死亡并没有带走一切。
你和那些珍贵的回忆一起被留了下来。
那些影像、声音、味道，记录了我们在一起的点点滴滴。

第 4500 天：掐一下自己

你想斩断现在这段恋情，因为麻烦多于快乐。你心想："这也太麻烦了。如果我自己有个小公寓，可以在凌晨两点做爆米花，再喝上一杯葡萄酒，没有任何情绪干扰，不是更好吗？"

掐一下自己。你感觉到疼了吗？还是仅仅感觉到自己还活着？

将性和其他期待统统抛开！恋爱的核心是友谊。

寻找伴侣就像一场旅行，你不知道中途会停多少次，会绕多少弯路，也不知道这场旅行会持续多久，甚至不知道目的地在哪里。

如果你的伴侣做了下面这些事，立刻头也不回地离开他：

· 不尊重你

· 戒不掉或不愿戒掉令他上瘾的嗜好

· 劈腿（不用两次，一次就够了）

· 动手打你（两个人就到此为止了）

· 是连环杀手（哪怕是非连环杀手也不行）

· 虐待小动物（比如踢小狗）

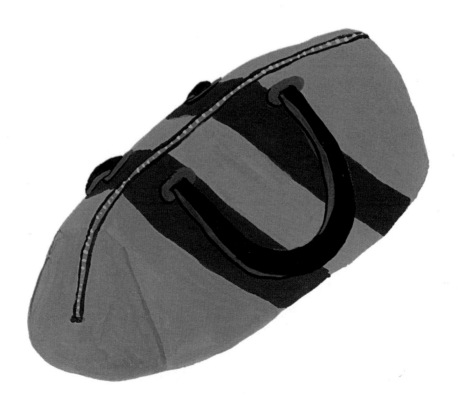

如果幸运的话，你一开始就会遇到那种糟糕透顶的工作。它会让你看到职场讨厌的一面，同时也会激励你加倍努力追求更好的工作。

先生，感谢您的反馈与建议。

请别再大喊大叫了。

有时候，人们认为工作只是为了养家糊口。
只有休息时间才能做自己真正想做的事。

但工作不光是为了赚钱，它关乎你的生活质量。找一份你感兴
趣的工作，这样一来既能做自己喜欢的事情，又能得到报酬。
穷得叮当响其实很没意思。你必须要有一定的收入，才能支持
你继续追求自己的目标。

第 5500 天：问问题

我们来到世上就是为了寻找答案。不是说你一定会找到，
但你一定要努力去找找看。

第 6000 天：做法式乳蛋饼

当灾难降临时，
乳蛋饼能让一切恢复条理。

洋葱、黄油、大蒜
胡萝卜、菠菜、西兰花、
西葫芦、山药
淡奶
鸡蛋、奶酪丝
肉豆蔻、肉桂粉、盐、
胡椒粉、卡宴辣椒粉
未经烘烤的馅饼皮

将洋葱切丝，放入倒有黄油或橄榄油的锅中，加入大蒜末，小火煎 5 ~ 10 分钟。

趁着煎洋葱的空当儿，将胡萝卜切丝，菠菜切段，西兰花去根后切成小块，西葫芦切丝，山药煮至半熟后切丁。然后把切好的东西都扔进一个大碗里。

再找一个碗，倒进一罐牛奶，打四五个鸡蛋，一起搅拌。然后加入一杯或更多奶酪丝。当然啦，这些分量都不是精确值，你觉得差不多就行。生活也是如此，随意一点儿，有时候各种古怪情况的组合也能得到很棒的结果。你要相信，最后一切都会好起来。

将牛奶与鸡蛋充分混合后，加入少许肉豆蔻、肉桂粉、盐和胡椒粉，还有我最喜欢的卡宴辣椒粉。

将这些配料混合后倒入装蔬菜的大碗里搅拌，然后用勺子舀起，放进未经烘烤的馅饼皮里。这个分量应该够做三四块乳蛋饼。撒上盐和胡椒粉，烤箱调至 175 摄氏度，烤大约一小时。烤至中间部分凝固，用牙签插入拔出后不黏馅料即可。

你戴了烤箱手套吗？烤盘很烫，可别烫伤了。如果你不小心被烫伤了，立刻把手放在冷水下面冲一冲，直到疼痛减轻。

你最近有好好吃饭吗？
吃些乳蛋饼吧。

第 7000 天：确定各项事情的优先顺序

如果你觉得工作、生活和其他各种事压得你喘不过气来，时间完全不够用，那就把每件事都写下来，包括你要负责以及让你感到负担的事，也包括好好照顾自己。

把你写下来的事情想象成急诊室里等着看医生的病人。谁该最先得到治疗？谁排第二？谁排第三？谁的情况并没有那么严重，甚至不该出现在急诊室的候诊名单上？

小提示：
"好好照顾自己"
应该排在
名单第一位。

第 8000 天：重新定义幸福

　　我曾经以为，幸福会在某一时刻突然来到我身边。

　　总有一天我会等到那个时刻，然后一切都会变得美好，所有的事情都变得顺理成章。

世界并不是因为你减掉了 20 斤肉或者保持着苗条的身材才美好。

无论或胖或瘦，你都可以得到幸福。

如果幸运的话，你会拥有许多美好的时光和幸福的日子。

只是千万别指望幸福会不间断地持续个 10 年。

我认为，幸福就是对你现在的生活状态感到满足。

可能是无欲无求，也可能是志向高远，

或者介于两者之间。

那是一种活在当下的感觉。

第 9000 天：削尖铅笔

你会发现自己正处于过渡期，你在等着新消息：治疗的进展，病情的预测，希望的信号。不如喝杯咖啡，玩玩填字游戏吧。咖啡能让你保持清醒，填字游戏能让你的大脑保持忙碌。如果你得等至少 24 小时，而且想挑战一下自己，那也可以试试《纽约时报》上的填字游戏。

做为父母，你可能不称职。
值得庆幸的是，当你有了孙子孙女后，
你得到了第二次机会。
这次你可以试着换种方式再做一次
"失败"的长辈。

或者也可以不继续"失败"下去。
请记住，孩子们可以看到被你忽略的东西。
多花点儿时间陪陪他们，
试着从他们的视角看世界。

111

第 11000 天：打破常规

不要停滞不前，无论是工作还是生活。不要沉浸在过去，也不要原地踏步。想象一下，如果没有任何人、任何事让你感到畏惧，你想去哪里，想做些什么呢？

行动起来吧!

我们做的每件事都是为了生存。所以，大脑总是在寻找潜在的威胁，而且能找到很多。比如，可能要带生病的宝宝赶赴医院，也可能收到一份显示心跳乏力的心电图，还可能听见穿白大褂的医生提到"癌症"。

恐惧有时候很有用，它能帮你躲开迎面而来的车，也能激励你做出积极的改变。但除此之外，恐惧只会让你的生活变糟。当你感到恐惧的时候，不妨问问自己：这样做有用吗？如果没用的话，那就笑着面对困难和威胁吧。

第 13000 天：加快脚步

当你心里想着或是嘴里抱怨着"这个世界真是越变越糟"的时候，你就正式步入老年了，不论你是三十四岁还是九十五岁。每一代人可能都会这么想，还会抱怨悲惨的现状、混乱的政治局面、年轻一代的恶习等等。

你不是第一个这么想的人，你不是无所不知的，也不需要肩负拯救世界、拯救人类的重任。你们这一代要比以往任何一代人都更幸福。

与其抱怨世界的糟糕，
不如去做点儿什么，
用你的智慧与热情
让世界变得更美好。

第 14000 天：列一份"避之不及"清单

列遗愿清单的人，通常是那些总爱跟你聊他们自己的人。其实我才不想听呢，就像我根本不想听他们讲述自己的秘鲁之旅。

即使完成了那份清单上列出的所有事情，你也可能会走向失败。这么说吧，如果你完成了清单却还没死，那该怎么办？是时候赴死了吗？如果不是的话，那剩下的时间，你又要做些什么呢？难不成要再列一份遗愿清单？

还有那些列不出"精彩"遗愿清单的人该怎么办呢？难不成他们只配拥有一个平淡无奇的清单吗——"我想有朝一日去比弗顿瞧瞧"？

坐下来读本好书，喝杯茶，跟你一起散个步。这才是我一生中最美好的时刻，甚至比参观泰姬陵、乘船在峡湾航行、去瑞士滑雪还要棒。

我们找个地方，坐下来，闲聊几句，这才是我真正想念的事。

"避之不及"清单

- 列遗愿清单
- 跟刻薄的人共事，或是给刻薄的老板打工
- 自怨自艾
- 优柔寡断
- 不敢说实话
- 心怀恶意
- 总是跟别人发生冲突
- 结交让你耗尽精力的朋友
- 不懂得拒绝

第 15000 天：戒掉依赖

总有一天，你会发现自己不再需要酒精（别管前面的食谱了），也不再需要药物（把前面提到的分娩建议也忘了吧）。别担心，不管怎么样都会有另一样东西代替它们，比如镇痛激素内啡肽之类的。

相信我，你还会找到其他能支持你的东西。

第 17000 天：买根拐杖

如果你幸运地活到了七老八十的年纪，那你的身体可能会出现各种问题。

你可能会因为跌倒，摔坏身上的某个零件。医生将不得不从你身上拿走点儿什么，然后再将替代品塞回去。直到某一天，你可能会走也走不动，坐也坐不稳，吃也吃不香，听也听不清，睡也睡不好。你懂我的意思了吧。

如果世界上通过了某项法案，要求 20 来岁的人必须在轮椅上坐满 6 个月，他们可能一辈子都会同情老年人和残疾人。但跟你一样，大多数人一辈子都得以其他方式学习耐心和接纳。

相信我，你拥有必要的工具，能够应对这些全新的挑战。

你需要额外购买一根拐杖，
尽量买根时髦些的。

第 18000 天：对自己的身体好一点

等你身上某个零件，比如心脏、骨头、大脑出现问题的时候，你会突然意识到，自己并不是无坚不摧。在此之前，你可能还以为自己是个例外呢。这种事应该发生在别人身上，而不是你身上。是时候关心关心自己了，对自己好一点儿。不管你年纪多大，都应该穿干净整洁的衣服，吃热气腾腾的饭菜，享受别人贴心的陪伴。

别孤零零一个人待着。如果有人向你伸出了援助和友谊之手，那就接受吧。如果没有，你就主动提出来。多给自己一点儿时间，对自己耐心点儿。也请其他人对你耐心点儿，不过你可能需要提醒他们一下。

第 20000 天：计划一场理想的死亡

我们一辈子都在做计划——婚礼、生日聚会、早午餐、宝宝出生、惊喜派对、周年纪念、购物之旅、假期、家庭聚会、浪漫周末。但这还没完呢，为什么到最后要停下来呢？花点儿时间想一想，你希望怎样离开这个世界吧。

离开的那天你在什么地方？你穿着什么样的衣服？跟谁在一起？放什么音乐？接下来会发生什么事，或者你希望接下来发生什么事？

请记住，不管你身边曾有多少人陪伴，最后离开时都只有你自己。因为这是你的人生舞台啊。

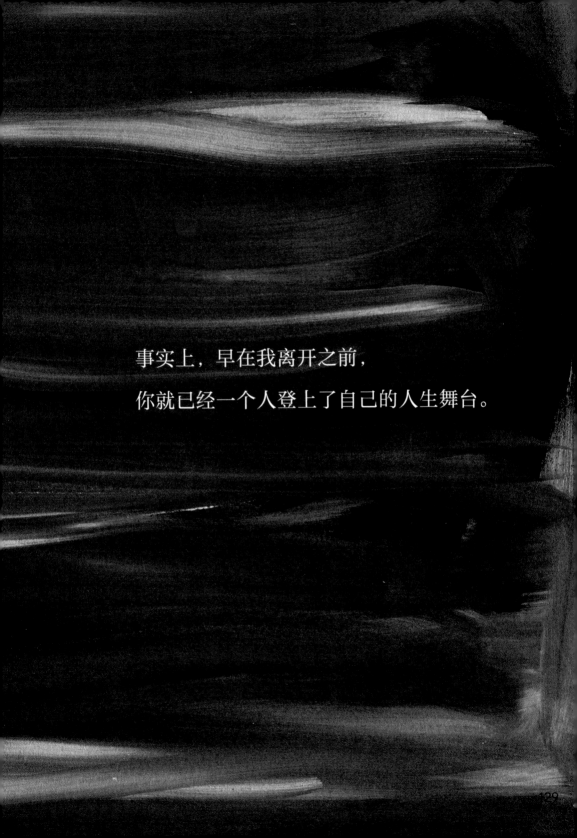

事实上，早在我离开之前，

你就已经一个人登上了自己的人生舞台。

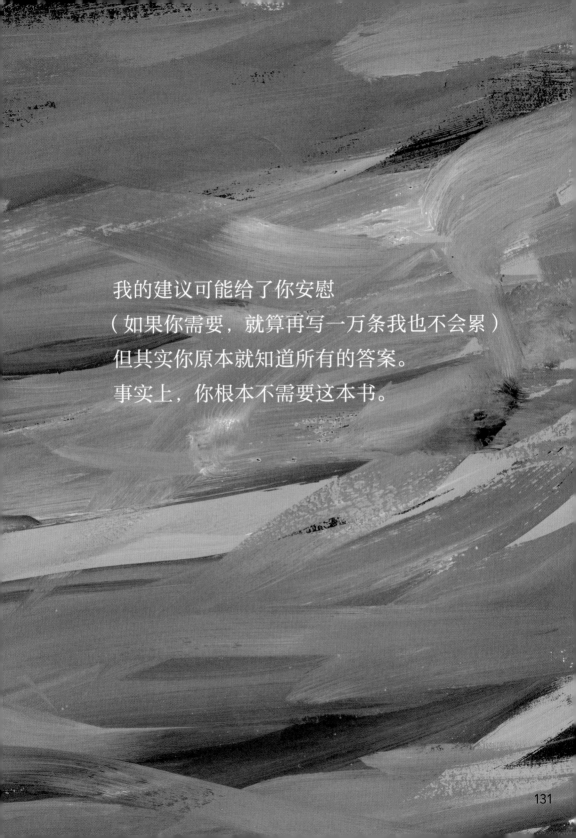

我的建议可能给了你安慰
（如果你需要，就算再写一万条我也不会累）
但其实你原本就知道所有的答案。
事实上，你根本不需要这本书。

我很高兴能和你一起写这本书，
但你其实并不需要它。
就算没有我，你也能继续前进。
你原本就拥有面对未来的力量！

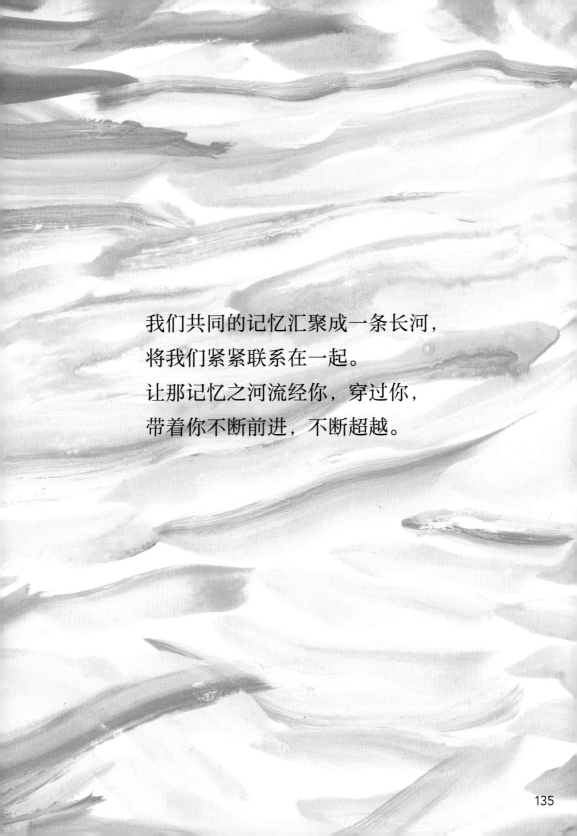

我们共同的记忆汇聚成一条长河，
将我们紧紧联系在一起。
让那记忆之河流经你，穿过你，
带着你不断前进，不断超越。

致 谢

衷心感谢我们的文稿代理人凯特·麦基恩对这本书的信任、支持和鼓励。非常感谢南希·米勒和她所在的布鲁姆斯伯里出版社的出色员工，感谢他们细致的编辑和善意的指导，此次合作是一次愉快而难忘的经历。

哈莉：
非常感谢杰克·斯耶格伦，在那漫长而艰辛的工作日子里，他的鼓励和拥抱，促使我继续前进。感谢爱丽丝·梅德兰，她是我最好的朋友，常常给我带来欢乐和鲜花。感谢阿瑞安娜·兰纳尔斯基，每个星期天她都会拽我离开办公桌，带我去户外走一走，这总能让我灵感勃发，更加渴望回来工作。感谢尼克和本，他们总是跟我煲长长的电话粥，逗得我哈哈大笑。感谢我爸爸克里斯·贝特曼，他为人幽默，慷慨大度，并且一直耐心等待自己的机会到来。（别担心，老爸，对于怎么让你的智慧永存，我有不少好点子。）

还要感谢妈妈。在我心里没有人能够取代她，但她还是愿意让我试着找一个能够取代她的人。

苏西：
非常感谢过去 10 年中接受我采访的众多老人，他们让我理解了爱与失去对人们有着多么深刻、多么持久的影响。感谢本、哈莉和尼克，30 年来用实际行动教会了我怎么做一位母亲。感谢我妹妹安·高斯曼，在我们母亲弥留之际和去世后给予我的帮助和建议。感谢我的丈夫克里斯·贝特曼，他是我认识的最有趣的作家，感谢他读过每一版书稿，并且每次都又哭又笑；也感谢他在 30 年前和我一起参加了一项名为"为人父母"的宏伟实验。

再次感谢哈莉，因为这本书的核心就是我们促膝长谈的内容。最后还要感谢她绘制的无与伦比的美丽插图。

图书在版编目（CIP）数据

我离开之后 /（美）苏西·霍普金斯
(Suzy Hopkins) 著；（美）哈莉·贝特曼
(Hallie Bateman) 绘；王岑卉译. -- 北京：北京日报
出版社，2020.8（2021.2重印）
ISBN 978-7-5477-3704-0

Ⅰ.①我… Ⅱ.①苏… ②哈… ③王… Ⅲ.①人生哲
学 - 通俗读物 Ⅳ.①B821-49

中国版本图书馆CIP数据核字(2020)第120961号

著作权合同登记 图字：01-2020-1618号

我离开之后

著　　者：[美]苏西·霍普金斯
绘　　者：[美]哈莉·贝特曼
译　　者：王岑卉
责任编辑：史　琴
助理编辑：秦　姚
监　　制：黄　利　万　夏
营销支持：曹莉丽
版权支持：王秀荣
装帧设计：紫图装帧
出版发行：北京日报出版社
地　　址：北京市东城区东单三条8-16号东方广场东配楼四层
邮　　编：100005
电　　话：发行部：(010) 65255876
　　　　　总编室：(010) 65252135
印　　刷：天津联城印刷有限公司
经　　销：各地新华书店
版　　次：2020年8月第1版
　　　　　2021年2月第2次印刷
开　　本：710毫米×1000毫米　1/16
印　　张：9
字　　数：20千字
定　　价：79.90元